La cellule Hope

D1316264

Muriel Kearney

La cellule Hope

roman

SOULIÈRES
ÉDITEUR
www.soulieresediteur.com

case postale 36563 — 598, rue Victoria
Saint-Lambert (Québec) J4P 3S8

Soulières éditeur remercie le Conseil des Arts du Canada et la SODEC de l'aide accordée à son programme de publication et reconnaît l'aide financière du gouvernement du Canada par l'entremise du Fonds du livre du Canada (FLC) pour ses activités d'édition. Soulières éditeur bénéficie également du Programme de crédit d'impôt pour l'édition de livres — Gestion Sodec — du gouvernement du Québec.

Dépôt légal: 2013

Catalogage avant publication de Bibliothèque et Archives nationales du Québec et Bibliothèque et Archives Canada

Kearney, Muriel,
    La cellule Hope

    (Collection Graffiti 83)
    Pour les jeunes à partir de 11 ans et plus.
    .ISBN 978-2-89607-226-2
    I. Titre II. Collection: Collection Graffiti; 83.

PS8621.E232C44 2013   jC843'.6   C2013-940893-2
PS9621.E232C44 2013

Illustration de la couverture :
Carl Pelletier (Polygone Studio)

Conception graphique de la couverture :
Annie Pencrec'h

À Roger P.
et à Léonie KD,
mes tout premiers lecteurs enthousiastes.

1

Pure et dure

Hope Lowry déteste ses parents. Et ça ne date pas d'hier. Toute petite, la blondinette a senti une minuscule pierre froide et plate prendre forme et se lover entre elle et eux. Avec le temps, la masse dure et compacte s'est mise à se fissurer. Une crevasse s'est dessinée.

Enfant unique, Hope a grandi seule, autour de cette faille imaginaire. Charles et Belinda Lowry marchaient, main dans la main, magnifiques.

Dans la grande maison de Portland sur la Côte ouest des États-Unis, les années passent. Le corps de Hope s'allonge et prend des formes. Son cerveau fonctionne bien. Mais sur son cœur se sont greffées des couches sédimentaires, qui l'ont protégée des absences et des déceptions.

Un après-midi, alors qu'elle a 16 ans, le magma explose…

En équilibre sur sa chaise, près des fenêtres ouvertes, en classe de géographie, Hope savoure la chaleur de la fin du printemps. Elle aime bien Tommy Lee, le jeune prof, qui trace au tableau les plans d'un projet de terrain de golf à Portland. Il est en train d'expliquer, sans cacher sa colère, les visées de promoteurs immobiliers.

— Ces gens d'affaires veulent faire changer le zonage municipal du parc Kent, un parc ouvert à tous, pour installer un terrain de golf privé, imbibé de pesticides. On a besoin de ce poumon au centre de notre ville. C'est tellement rare, les endroits où l'on retrouve autant d'arbres centenaires. Le projet menace la biodiversité de l'écosystème…

Les plus beaux souvenirs de Hope ont comme fond d'écran l'immense parc Kent. Elle y partageait avec sa tante Mimi des dimanches épiques. Roulades, fous rires, pique-niques aux saveurs du monde. Ces rares moments de joie brute étincellent dans la mémoire de Hope. C'était avant que tante Mimi n'abandonne Portland pour aller créer des costumes flamboyants pour le Cirque du Soleil à Montréal.

La cloche annonce la sortie des cours. Hope a pris l'habitude de s'accrocher les pieds chez son voisin Lenny, histoire de bavarder un peu avec un humain sympathique. Le vieux Polonais est toujours dehors, à tailler ses roses ou à lire le journal, assis sur sa petite chaise pliante. Depuis que Hope a dix ans, le voisin insiste pour qu'elle l'appelle Lenny.

— Hé, Lenny, qu'est-ce que tu sais sur le projet du parc Kent ? Il paraît que des promoteurs veulent le saccager !

Lenny arrache un pissenlit puis révèle à Hope, du bout des lèvres, que ses parents sont à la tête du groupe de promoteurs. Le retraité ajoute qu'on prévoit aussi la construction de domiciles cossus.

Avec ces éléments accablants, Hope comprend que le précipice entre elle et ses parents est dorénavant infranchissable. Un mur d'aversion, puissant, irréversible, s'est érigé.

Cela peut paraître étonnant, mais à la suite des révélations sur les activités de ses parents, Hope se sent plus ancrée dans ses convictions, résolument sûre d'elle. Charles et Belinda Lowry sont des salauds cupides et elle est enfin libre de les détester à sa guise. Dossier clos.

Maintenant, comment continuer à partager son quotidien avec eux dans la grande maison feutrée ?

La jeune fille poursuit les dernières années de son *highschool* en réduisant au strict minimum le temps passé au 1155, Malcom Avenue. Elle fait partie de la troupe de théâtre parascolaire, puis fonde une brigade écologique avec des copines, où elle fait des recherches sur les gaz à effets de serre, le recyclage et la mobilisation citoyenne. Pour fuir le domicile les fins de semaine, Hope déniche un emploi de serveuse au *Organic Sun Cafe*. L'été, elle trône, bronzée, cheveux blonds noués en queue de cheval, sur la haute chaise de sauveteur de *Cannon Beach*, sur le Pacifique où elle accepte les heures supplémentaires sans rechigner. Tous les prétextes sont bons pour rentrer tard et quitter tôt la forteresse Lowry !

Si vous voulez le savoir, oui, elle fréquente quelques garçons. À sa convenance. Sans plus. La grande blonde aux yeux gris attire l'attention, cela va sans dire. En revanche, son attitude carrée et volontaire envoie un message sans équivoque : *Ne pas déranger*, comme les affichettes suspendues sur les portes des chambres d'hôtel.

Le jour de ses 18 ans, coup de théâtre: une valise à roulettes à la main, Hope dépose, à côté du bol de fruits, sur le comptoir de granit moucheté de la cuisine, une note laconique qui résume tout :

Maman, Papa, vous avez créé votre contraire. Vos idées et vos actions me donnent la nausée. Hasta la Vista.

C'était il y a un an.

2

Un garçon, une ombre

COMMENT DIABLE ÉMILE S'EST-IL MIS DANS CE PÉTRIN ? Son leitmotiv est de NE PAS attirer l'attention. S'effacer, lui, et s'abreuver de la vie des autres sont drôlement plus intéressants et moins compliqués que d'affirmer son identité et d'entretenir des amitiés. Cela fait des années qu'il fonctionne ainsi, et ça va. Il s'en tire. Il ne s'engage dans rien. Pourtant, il ne s'ennuie pas. Loin de là.

Alors qu'il était élève à l'école primaire, après le souper familial, le garçon annonçait à ses parents qu'il avait un travail d'équipe à faire, chez l'un ou l'autre. La vérité, c'est qu'il entamait sa ronde d'espionnage. Quel plaisir vaguement coupable que de s'aventurer au ras des fenêtres des maisons de son quartier de la rive sud de Montréal. Il s'appuyait, silencieux, contre la brique fraîche et observait, à leur insu, les voisins vaquer à leur train-train. La bande des Aubin en rang d'oignons, bouches ouvertes devant la télé ; les retraités Hétu concentrés sur leur joute de Scrabble ; les sœurs Loriault suscitant des rencontres invraisemblables entre Barbie et Ken ; madame Roberge récurant les chaudrons et les tendant vers son mari, résigné, le linge à vaisselle à la main ; Pierre-Marc Labelle sanglotant sur ses cahiers de devoirs. Chaque maisonnée était une fourmilière. Chaque famille avait ses petits secrets.

Les bons soirs, Émile tombait pile devant une étreinte, au crépuscule ou, parfois, il attrapait les bribes d'une dispute carabinée. Son expérience de voyeur s'est affirmée avec la découverte du plaisir que lui procuraient les jumelles. Un filtre de verre qui le rapproche à la puissance 100, tout en le gardant en sécurité dans sa bulle. C'est pas mal plus utile que ses lunettes rondes de myope. Maintenant, il se surpasse avec une mini caméra numérique qui ne le quitte jamais. Ce qui était un véritable jeu d'enfant passionne de plus en plus Émile, mais sa conscience des risques augmente également. Il doit cacher les vidéos, se soustraire aux questions de son petit frère. Sa vie devient compliquée.

Dans sa famille, chacun vibre, porté par sa passion. Béatrice, sa sœur aînée, chante du matin au soir et rêve de suivre les traces de la chanteuse Cœur de Pirate. Son petit frère, Hugo, attend d'avoir 16 ans pour décrocher sa ceinture noire de karaté. Les parents d'Émile l'encouragent sans relâche pour qu'il s'investisse dans une activité, pour qu'il s'intéresse à quelque chose. Il commence à être angoissé à l'idée de n'être attiré par rien en particulier. Mis à part traquer les allées et venues des autres, observer ce qui ne le concerne pas, Émile Lantier n'existe pas.

Quelle consternation lorsqu'au téléphone un douanier canadien avise les Lantier du méfait de leur cadet : Émile s'est fait pincer avec quelques joints de marijuana au retour d'une excursion culturelle obligatoire à Boston, avec l'école. Oui, il fume à l'occasion. Cela fait taire ses peurs, le libère un peu de lui-même.

Le choc réel, c'est quand le juge a annoncé le verdict: « Six mois de travail dans la communauté ».

3

Adieu Portland,
bonjour Montréal

À : Tante Mimi
J'arrive chez toi mercredi PM.
xxx Hope
Envoyer

HOPE CONNAÎT BIEN L'APPARTEMENT LU-
MINEUX DE LA SŒUR DE SA MÈRE, RUE DE
ROUEN, DANS LE QUARTIER HOCHELAGA-
MAISONNEUVE, POUR Y AVOIR PASSÉ DEUX ÉTÉS, ADO-
LESCENTE.

— Pour apprendre le français, avaient rou-
coulé ses parents.

— Ouais, pour vous foutre la paix, avait
traduit Hope…

Mimi, fin trentaine, est l'antithèse de Belinda, la mère de Hope. Il y a certes une ressemblance physique, mais Mimi porte ses cheveux
courts, sexy, comme l'actrice Halle Berry, tan-
dis que sa grande sœur, plutôt nostalgique des
chanteuses western, laisse tomber savamment
ses boucles en cascades. À la base de sa nuque,

Mimi exhibe un tatouage tribal, souvenir de Polynésie. Follement marrante, la designer a toujours bourlingué de par le monde. Davantage depuis qu'elle suit le Cirque du soleil de Dubaï à Tokyo.

Hope sait qu'elle sera accueillie à bras ouverts chez la pétillante Mimi et que l'appartement de cinq pièces et demie de sa tante sera régulièrement à son entière disposition, sans frais…vu son agenda de globe-trotter.

Belinda appellera sans doute Mimi, faussement préoccupée par la « disparition » de sa fille unique.

— Oui, oui, ta grande est ici. Ne t'inquiète pas. Je veille sur elle, Belinda, répondra Mimi avec un clin d'œil complice à Hope.

La fugitive a déniché sur le web un billet aller simple en train pour la modique somme de 259 dollars US. Le hic, ce sont les foutus transferts : de Portland à Chicago, de Chicago vers New York, puis de New York, le périple prend fin à Montréal.

Calée dans son fauteuil, face à des amoureux qui se dévorent des yeux et des mains, le trajet s'annonce interminable. Hope ferme les yeux. Avec le défunt groupe Nirvana qui joue en boucle sur son iPod, elle se questionne sur son avenir immédiat. Elle a drôlement envie d'action. L'université attendra.

Outre sa chère Mimi, Hope voit deux points d'ancrage dans sa ville d'adoption. Il y a Noémie, une fille de son âge, avec qui elle s'est liée d'amitié au camp d'été du Biodôme, lors de son premier séjour à Montréal. À 13 ans, elles étaient les plus âgées du groupe et passaient leurs journées à concocter des coups pendables.

Amies sur Facebook, elles suivent leurs péripéties réciproques et échangent quelques messages personnels. Noémie aime bien faire part de ses déboires amoureux, avec un sens de l'humour inégalé. Ce que Hope peut se tordre de rire en suivant ses aventures rocambolesques !

— J'irai la surprendre au Café des Bagatelles, vendredi en fin de soirée, se dit Hope, les fesses engourdies.

La transfuge Américaine se souvient aussi de Maude Filiatrault, l'amie de Mimi, celle qui portait des vêtements recyclés, de longs colliers et un parfum de patchouli.

— Si cette Maude travaille toujours chez Greenpeace, elle pourrait bien m'être utile, se dit Hope en regardant le paysage défiler. Un stage là-bas serait parfait pour commencer.

Avec quinze heures de route dans le corps, un pita au végé-pâté aux piments rôtis et un lait de soya au chocolat dans l'estomac, Hope s'assoupit malgré l'espace exigu pour ses longues jambes. Ses sabots sont tombés au milieu de l'allée. Le paysage lancinant des prairies américaines continue à défiler : champ de blé, champ de maïs, champ de soya...

Des femmes au faciès Inca sanglotent, crient devant un mur de photos en noir et blanc. Mais aucun son ne sort de leur bouche ravagée. La horde creuse la croûte terrestre avec leurs ongles, salissant leurs robes colorées.

Hope se réveille en sueur, le cœur battant à ce cauchemar. Il reste un bon dix heures avant de franchir la frontière canadienne.

4

Les bottes dans la bouette

LE JUGE A CONCÉDÉ QU'ÉMILE BOUCLE SON AN-
NÉE SCOLAIRE AVANT DE PARTIR, D'AUTANT
PLUS QU'IL TERMINE SON SECONDAIRE. Le 19
juin, Émile laisse donc la coquette maison de
la rue Birch à Saint-Lambert pour la ferme
Sème tes rêves à quelques kilomètres au sud
de Cowansville. Si tout se déroule bien, la durée de sa peine dans la communauté sera ré-
duite afin qu'Émile fasse son entrée au cégep
Édouard-Montpetit à la fin août. C'est une première offense: le magistrat a fait preuve d'une
certaine clémence.

Assis dans l'autobus qui roule sur l'autoroute des Cantons-de-l'Est, Émile se dit que ce
n'est qu'un dur moment à passer. Contrairement aux jeunes de son âge, il ne porte jamais
d'écouteurs. Les conversations l'intéressent
davantage que les médias ou le rap. Mine de
rien, il passe au crible tous les passagers de
l'autobus. Sur demande, il pourrait décrire
leurs vêtements en détail, les yeux fermés
(les pièces du haut, pour ceux qui sont entrés

avant lui). Et qui pourrait le décrire, lui, Émile ? Chevelure soyeuse couleur chocolat, allure discrète, regard de chevreuil derrière ses petites lunettes. Il est de taille et de gabarit moyens. Pas de signe particulier, rien de frappant.

Émile meuble le temps en imaginant toutes sortes de scénarios sur la vie des autres à partir des quelques éléments qu'il remarque. Le barbu a une alliance à l'annulaire gauche et traîne une petite valise à roulettes: vendeur itinérant ou mari infidèle ? Il dote les passagers d'animaux de compagnie, de rêves d'avenir, de plats préférés.

Émile a sciemment abandonné ses instruments fétiches à la maison. Les jumelles et la caméra vidéo sont dissimulées dans un vieux sac, sur la tablette du cabanon, dans le jardin. L'espion tente vaguement un sevrage de ses activités. Émile a constaté qu'une pulsion *de voir ce qu'il ne doit pas voir* mobilise son esprit dès qu'il s'éveille. Ça commence à être dérangeant... Et puis, il ne veut pas se faire pincer à la ferme. Trop de monde, trop risqué.

À la station d'essence de Cowansville, quelques personnes descendent en même temps qu'Émile. Lucas, le coordonnateur de la ferme, attend son nouveau protégé, la mine joyeuse, une casquette orange vissée sur le crâne. Un gaillard chaleureux, bien dans sa

peau. Au premier contact, cette aisance géné-
reuse intimide Émile.

— C'est quoi son truc de bon samaritain, à
celui-là ? grommelle le nouveau venu, agacé.

Émile apprend plus tard de son voisin de
dortoir, Lucas, a déjà brûlé la chandelle par les
deux bouts, comme la plupart des délinquants
qui se trouvent à la ferme. Ses années d'errance
et de délinquance ont pris fin après un long
voyage initiatique dans le sud de l'Inde. Depuis, il médite, il vit au présent, il croque dans
la vie et se voue au bonheur de son prochain.
Tous les participants à la ferme le surnomment
avec affection le *Bouddha freak*.

La ferme *Sème tes rêves* accueille une ving-
taine de jeunes contrevenants pour des séjours
de trois à six mois, selon la gravité du délit.
C'est ce qu'Émile a lu sur leur site web.

Les premières semaines, Émile apprend les
rudiments de la culture maraîchère biologique.
Il partage des tâches sur la terre et en cuisine,
participe aux soins du ménage avec ses co-
pensionnaires. Émile s'intègre bien, obéit aux
règlements, parle peu. Il se surprend à aimer
les odeurs de la terre, les prés fleuris, le chant
des oiseaux. Pour lui, l'obstacle majeur de la
semaine est, sans contredit, la séance avec la
psychologue. Il s'en tire en se créant un personnage qui a des besoins, des sentiments et des

ambitions. Pas une larme, pas un aveu. Aucune érosion ne se dessine à l'horizon.

5

Plus radical, *please*

MIMI N'ATTEND PAS SA NIÈCE À LA GARE À SON ARRIVÉE DE PORTLAND, UN MERCREDI APRÈS-MIDI DE JUIN.

— La clé est sous le paillasson, a-t-elle texté.

Hope dépose lourdement son sac dans le salon double au fond de l'appartement. Elle s'installe sans chichi : les chemisiers et les robes sur des cintres dans la vieille penderie, les jeans, les camisoles, les chandails et les sous-vêtements dans les tiroirs de la commode que Mimi a vidés pour « sa petite chérie ».

Hope profite de ses premiers jours à Montréal pour tâter le pouls de la ville, à pied et en BIXI. Le lundi suivant, armée de son sourire suave et convaincant, elle déniche un stage chez Greenpeace. Vingt minutes dans le bureau de la directrice, Maude Filiatrault, ont suffi.

— Tu seras l'assistante de l'équipe des communications, genre « femme à tout faire », lui explique la patronne.

Dans les faits, Hope ne se gêne pas pour farfouiller d'un service à l'autre. Tous apprécient son engagement sans équivoque, son énergie contagieuse.

Ses journées de stage consistent à faire de la recherche sur les entreprises en ressources naturelles, à alimenter le blogue de nouvelles internationales, à compiler des listes de membres potentiels, à superviser les envois postaux de calendriers promotionnels, à traduire les communiqués vers l'anglais. Les journées s'envolent à la vitesse de l'éclair. Hope se sent utile à la cause.

Puis, après quelques semaines, Hope se met à critiquer l'organisation.

— Qu'est-ce que c'est que cette attitude conciliante face aux pollueurs et aux inconscients ?

Devant la version édulcorée du géant vert, Hope s'insurge. Oui, leurs publications chocs sur les stocks de poissons en danger et les menaces de boycottage des gros joueurs récalcitrants correspondaient à sa perception du militantisme. En revanche, lorsqu'elle apprend que des dirigeants de Greenpeace rencontrent des chaînes d'épiceries et « discutent » de leur approvisionnement en poisson, elle s'écrie :

— Ce n'est pas l'ADN de Greenpeace, ça ! Où est l'esprit du *Rainbow Warrior*, de la guérilla, du vrai militantisme d'action ?

Elle se rappelle avoir vu à la télévision les images troublantes de l'explosion du chalutier de Greenpeace, en Nouvelle-Zélande. Les services secrets français avaient coulé le *Rainbow Warrior* parce qu'ils n'appréciaient pas que soient entravés leurs essais nucléaires dans le Pacifique. C'était en 1985. Hope n'était pas née, mais elle s'identifie à cette guérilla du bien.

— Ils sont devenus mous. Pour que ça bouge, il faut que ça saute !

Rien de moins.

Hope n'est pas une fille de compromis. Après six semaines, la stagiaire remet sa démission, au grand étonnement de tous. Personne ne connaît ses intentions. Dans la tête de Hope, elles sont tout à fait claires : créer une cellule terroriste écologiste et responsable, qui soit un réel agent de changement. À l'instar de la guerre froide, le monde rêvé de Hope se divise en deux camps et chacun doit impérativement choisir le sien.

— Passons à l'action.

Première étape : recruter des militants. Le processus est en cours. Deuxième étape : identifier LA mission qui va brasser la cage de l'ennemi !

***

À plat ventre sur le canapé de velours prune, récupéré dans une brocante par tante Mimi, le long corps de Hope se raidit tout entier en voyant la photo de Charles Lowry sur l'écran de son iPad. Elle parcourt régulièrement le site du quotidien *Globe and Mail* à la recherche d'une cible pour sa première action « terroriste ». Sa tablette lui renvoie l'image de son géniteur arborant son sourire Colgate sans faille en méga pixels. Le quotidien torontois relate la signature d'une entente entre le nouveau président du *Copper Association of America* et ses vis-à-vis de l'exploitation du cuivre au Canada et au Mexique. Le nouveau président n'est nul autre que son papa.

Hope pense peu à ses parents depuis son départ de Portland. Pourquoi ce malaise physique, cet inconfort viscéral à la vue de la photo ?

— Tiens, cela me donne une idée d'attaque.

Un rictus s'esquisse sur son visage angélique. Elle prend le téléphone sur la table de style antique et compose le numéro de portable d'Ana.

6

Contestation
et coup de foudre

Il pleut le jour de la grande manifestation contre le gaz de schiste, prévue dans les rues de Montréal le samedi le 15 août. Une pluie chaude de fin d'été, moins sonore que les averses d'octobre. Émile est amusé par le flic-flac de ses bottes à travers les petites nappes lustrées de la station d'essence de Cowansville où il attend l'autobus. Il n'a pas hésité quand Lucas lui a proposé de l'accompagner à la grande protestation populaire contre le gaz de schiste. Émile n'est pas plus écologiste que créationniste, mais Montréal lui manque et il apprécie maintenant la présence zen de Lucas.

La mère d'Émile, prévoyante à l'excès, lui avait acheté des bottes *Hunter*, couleur marine, pour son séjour agricole forcé. Le côté mode, un peu « fille », avait déplu à Émile, mais il n'avait pas protesté. Les bottes s'étaient avérées des plus confortables et elles convenaient au train-train boueux de la ferme. Il les a enfilées sans hésitation ce matin-là en entendant les gouttelettes sur les carreaux des fenêtres du dortoir.

Descendus avec Lucas à la place Émilie-Gamelin, Émile est stupéfait de constater la densité du groupe de manifestants. Il regrette soudainement d'avoir les *Hunter* aux pieds. Discrètement, il tire ses jeans hors des hautes bottes et tente de glisser le tissu par-dessus le caoutchouc. Les cris des militants anti gaz de schiste s'élèvent, déterminés et joyeux. Émile entend, malgré ce vacarme, le son de ses bottes sur l'asphalte mouillé, qu'il juge enfantin, ridicule.

Soudainement, Lucas l'entraîne vers la tête du défilé. Il vient de reconnaître son amie Noémie (son ex, en fait), en conversation avec une espèce de grande blonde, au corps droit et aux mouvements saccadés.

— Salut le beau Lucas ! s'esclaffe Noémie. Nous as-tu apporté des radis pis des concombres de ta ferme pour le pique-nique ?

En se retournant vers sa comparse, elle gesticule avec emphase pour faire les présentations.

— Hope, Lucas. Lucas, Hope.

— Toujours aussi rigolote ma Noé, rétorque Lucas. Salut l'American Girl ! Noémie m'a parlé de toi.

Puis, il se retourne vers son protégé, qui se tient légèrement à l'écart.

— Je suis avec Émile, qui travaille avec moi à Cowansville.

Émile est soulagé de ne pas être présenté comme un délinquant… Lucas a tellement de tact qu'il pourrait être diplomate !

— *Cheers Hémill*, lâche Hope avec un résidu d'accent de la côte Ouest, puis elle fait volte-face vers les haut-parleurs. La manifestation commence illico.

Émile a eu le temps de remarquer que les cheveux clairs de Hope commencent à sécher en frisant légèrement devant les oreilles, en petits boudins dorés. Ses joues roses lui donnent un air de gamine. Émile lui donne à peine 18 ans alors qu'elle a franchi le cap des 19 ans. Habituellement, il est imbattable dans le triage de ses congénères : âge, orientation sexuelle, statut social, région d'origine. Comment ça s'appelle quand le cœur s'envole, que l'estomac est en pagaille et que les jambes deviennent molles ?

Émile vient d'être foudroyé.

7

Courage et engagement

QUATRE HEURES À MARCHER ET À SCANDER DES PROTESTATIONS MUSCLÉES SOUS LA PLUIE DANS LES RUES DE LA MÉTROPOLE. Trois bières à la terrasse de L'Abreuvoir sur la rue Ontario au coin de Saint-Denis. Un siège basculé vers l'arrière et un autobus qui roule sur l'autoroute 10. Le commun des mortels aurait ronflé, mais notre jeune héros vient de vivre l'équivalent d'un syndrome de Stendhal, mais d'ordre environnemental et amoureux ! L'intense journée de manifestation, avec toute sa camaraderie, a bouleversé Émile.

— Est-ce possible que j'aie un rôle à jouer dans ce monde ? Je veux participer à tout, en faire plus, découvre-t-il, le cœur battant.

C'était comme si son amour naissant pour Hope englobait la planète entière et ses sept milliards d'humains.

Tout ému, il se penche vers Lucas, veut partager sa joie, son émoi.

— Il dort, le *Bouddha freak*.

Le cerveau d'Émile s'emballe. Il a envie de parler, de comprendre, de bouger, de serrer un sans-abri dans ses bras. Si la psychologue de la ferme avait été là, à côté de lui, dans l'autobus, il lui aurait déballé le tout avec candeur : ses sensations nouvelles et cette immense attaque d'amour.

Le ronron de l'autobus finit par avoir raison d'Émile. C'est Lucas qui le réveille en rigolant. Il lui montre une photo qu'il vient de prendre avec son portable où Émile, bouche grande ouverte, laisse échapper un peu de bave. Émile est en furie. Faudrait pas que Hope voie ça !

***

Quatre jours plus tard, alors qu'Émile fouille la terre et extrait des citrouilles hâtives, une vibration se fait sentir dans la poche de son jeans. Texto de Hope. Texto de Hope. Texto de Hope.

Elle veut le rencontrer en lien avec « une mission ». Énigmatique.

À : Hope
J'ai congé dimanche prochain. Dis-moi où ?
Je termine à la ferme le 20 août.
Envoyer

Émile la trouve encore plus séduisante à la seconde rencontre. Elle porte une robe imprimée de formes géométriques colorées et fait claquer de courtes bottes de cowboy sur le parquet du café. Ses cheveux sont enroulés négligemment. Des mèches dorées caressent ses épaules. Elle n'est guère troublée par la présence d'Émile pour qui c'est tout le contraire.

D'emblée, Hope le questionne sur ses intérêts, ce qu'il sait faire. Comme si elle lui faisait une entrevue d'embauche. Émile gagne rapidement sa confiance. Elle est la première à qui il avoue son intérêt pour la photo, la captation d'informations et tout et tout. Il s'est même un peu vanté en mentionnant son expérience d'espionnage et sa légendaire intuition. Hope semble comprendre à demi-mot et aimer ce qu'elle entend.

Elle se met à lui parler de la cellule, de sa vision d'un monde meilleur, des actions qu'on devrait accomplir pour brasser la cage des capitalistes. Et puis, la portée panaméricaine de la première attaque qu'ils ont concoctée. Un peu plus, elle se compare à Che Guevara. Émile ne s'en offusque pas. Au contraire, il envie son courage et son engagement. Il s'abreuve de sa fougue. Il lui dit constamment « oui » du regard.

Hope n'a aucun doute : elle peut le compter parmi ses militants convaincus.

8

Planifications clandestines

É MILE A PURGÉ SA PEINE À LA FERME. Il est inscrit à la session d'automne au cégep du Vieux-Montréal pour entamer ses études collégiales en sciences humaines. Ses parents l'ont encouragé à louer un petit studio près du marché Atwater. Ce sont eux qui payent, alors pourquoi pas ?

— Pour cultiver ton autonomie, pas du *pot*, avait blagué son paternel, tout de même inquiet.

Il s'en était passé des choses depuis la manif contre l'exploitation du gaz de schiste !

Ce mercredi-là, le 20 septembre, Émile est convoqué pour la première fois aux conciliabules de la cellule. Les rencontres transforment la *Brasserie Chez Paul – Bienvenue aux Dames*, sur la rue Iberville, en ruche révolutionnaire. Hope ne veut, en aucun cas, compromettre sa tante Mimi en utilisant son appartement à des fins terroristes en son absence.

Émile est donc là, à rejoindre six jeunes larrons révolutionnaires, au fond de la salle obscure, entre la porte des toilettes et la série de machines vidéo poker. La bande est déjà installée autour de quelques pichets de Boréale blonde. Hope rayonne, avec sa nonchalance habituelle. Émile reconnaît Noémie qui lui lance un sourire, sans interrompre sa conversation avec sa voisine.

— Une Latino, se dit Émile.

Hope lui a confié que la mission en cours impliquait un lien avec le Mexique…

Arrivé près de la table, Émile détache sa veste à carreaux en zieutant Hope, penchée vers un jeune homme trop chevelu, à la voix rauque et au visage carré.

— Qui c'est, celui-là ? s'inquiète Émile, en prenant place nerveusement à côté de Noémie.

— Ok *guys*. Voici *Hémill*, notre petit nouveau, commence Hope en lui faisant un clin d'œil. Tu connais Noémie. Voici Ana, notre super et indispensable antenne mexicaine. Lui, c'est Georges, notre *technobrain* pour l'informatique. Tu vas avoir affaire à Romain, poursuit-elle, en continuant son tour de table. C'est lui qui a infiltré le siège social de Cuivre-Nordik en se faisant embaucher aux communications.

Hope n'a pas présenté le beau poilu… Au fil de la conversation, Émile saisit le nom de Marc-André, sans bien comprendre le rôle qu'il joue dans la cellule et auprès de sa potentielle Juliette.

Hope jette un regard circulaire sur la salle, scrute les habitués biberonnant leur bière, et baisse le timbre de sa voix.

— Le plan est simple. D'ici deux mois, on aura rassemblé des informations sur la nouvelle mine de Cuivre-Nordik, à Val-d'Or. On va mettre sur le web un reportage choc où on va comparer deux lieux d'exploitation du cuivre : un au Québec et l'autre au Mexique. On a déjà tout le stock d'informations du Mexique, gracieuseté de notre chère Ana Gonzalez. Les témoignages des travailleurs de là-bas sont troublants. Tout le monde adorait le père d'Ana qui est mort dans un accident à la mine. Ils ont accepté d'être filmés, en son honneur. C'est sûr qu'on couvre les yeux et qu'on masque les voix pour les protéger. Le cousin d'Ana a pris des photos accablantes de la situation chez eux…

Hope poursuit les consignes, les explications. Émile jubile. Amour, complicité, adrénaline, actions concrètes pour changer le monde. Que demander de plus ? Jamais il n'a imaginé un tel cocktail de bonheur ! Hope l'a choisi. Elle annonce aux autres que c'est lui, *Hémill*, qui descendra dans la mine, à Val-d'Or, prendre des photos et des vidéos des installations. On allait dévoiler à la planète entière les disparités de sécurité entre l'exploitation de la mine de Cuivre-Nordik, en Abitibi dans le nord-ouest du Québec, et celle de Sonora au nord-ouest du Mexique, opérée par le même conglomérat d'exploitation de ressources naturelles. Les grands magnats du cuivre allaient tomber en bas de leur chaise quand les abonnés de tous les réseaux sociaux relaieraient l'information de ces agissements inéquitables, à la fin novembre.

— Et le téléphone de mon horrible *dad* ne dérougira pas, anticipe Hope, euphorique.

9

La contribution d'Ana

ÉMILE REVOIT HOPE, QUELQUES JOURS PLUS TARD, EN TÊTE-À-TÊTE, DANS L'APPARTEMENT DE SA TANTE, QUI EST ABSENTE. L'amoureux a passé plus de temps devant le miroir que le plus dandy des dandys pour finalement enfiler la chemise jaune qu'il portait à la manifestation. Hope l'a sûrement aimée cette chemise-là, puisqu'elle l'avait rappelé… Et puis, ce n'est pas le genre de fille à s'intéresser à ces vétilles vestimentaires.

Dans le salon feutré, Hope et Émile sont côte à côte sur le canapé prune. Hope parle depuis tout à l'heure d'Ana Gonzalez.

— C'est ma meilleure amie… Elle est géniale. C'est comme la grande sœur que je n'ai jamais eue.

Bla, bla, bla…

— Elle vient de rentrer au Mexique. Elle va TELLEMENT me manquer. Je l'ADORE !

Les visées romantiques d'Émile volent en éclat.

— Ben là, elle est amoureuse de cette Ana ou quoi ?

Hope continue :

— On se comprend sans même se parler… On veut changer le monde, chacune à sa manière. Depuis qu'on se connaît, on discute pendant des heures sur les discours et les livres de Naomi Klein, de David Suzuki et d'Al Gore. On s'est rejointes à New York pour aller encourager les jeunes de Occupy Wall Street. On rigole quand les Anonymous font des attaques informatiques.

Hope confie à un Émile dégonflé les détails du drame de la famille Gonzalez. À la fin des années quatre-vingt-dix, six mineurs ont péri à la suite d'un éboulement au fond d'un puits. Le père d'Ana était du nombre. Comme pour les trente-trois mineurs chiliens qui sont restés soixante-neuf jours emprisonnés sous terre, les femmes et les maîtresses mexicaines ont prié, attendu, espéré. Dans ce cas-ci, en vain.

L'enquête a été bâclée.

— C'est scandaleux ! Aucun blâme n'a été porté contre l'entreprise, même s'il y avait des déficiences criantes sur le plan de la sécurité. C'est connu : ils graissent les policiers, les juges et l'administration. Les contestataires sont menacés, renchérit Hope survoltée.

— Son père descendait dans la mine six jours par semaine et creusait le roc plus de dix heures par jour. En plus, on le payait au rendement ! Tu t'imagines la vie qu'il menait ?

— Quand j'ai appelé Ana pour lui parler de notre mission, elle était dans son village pour l'été, en visite chez sa mère. Elle s'est tout de suite engagée à monter un dossier sur les conditions difficiles de l'extraction du cuivre dans sa région. Son cousin, Raoul, a pris des clichés montrant la vie quotidienne des travailleurs : les ascenseurs, les vestiaires, la cantine, les toilettes, les tunnels. Il a eu des confidences sur des problèmes de santé : système pulmonaire, fertilité, odorat et vision.

Émile suit péniblement la conversation…

— Ce qui était curieux, poursuit Hope, c'est que personne n'avait été informé que le Groupe Minier Azul était détenu majoritairement par Cuivre-Nordik depuis peu.

Le plus drôle, c'est qu'Ana est tombée amoureuse d'un des mineurs qu'elle filmait ! La vie est bien faite, hein, *Hémill* ? Je suis tellement contente pour elle.

La balloune à moitié dégonflée du timide Roméo arrête de perdre de l'air.

Hope n'est pas gay.

10

De l'espoir pour l'espion

DEUX SEMAINES PLUS TARD, HOPE RÉUNIT DE NOUVEAU LES MEMBRES DE LA CELLULE CHEZ PAUL. LE JOUR J APPROCHE.

— On descend dans la mine, on prend des photos et on remonte, ce n'est pas sorcier, martèle l'instigatrice.

Amoureux dingue, comme cela ne luï est jamais arrivé, Émile marche dans la combine sans la moindre hésitation. Il a déjà un casier judiciaire à cause de l'incident de la marijuana. Il approche de la majorité. Il risque gros, mais il adhère à son nouveau rôle d'espion qui sauvera la planète.

Hémill inspire confiance, affirme Hope. C'est lui qu'on envoie comme stagiaire aux bureaux administratifs de Cuivre-Nordik. *Émile inspire confiance.* Ces trois mots, Émile les enregistre en version Cupidon : *Tu es le meilleur. I love you Hémill…*

Le ténébreux Marc-André s'était ardemment proposé mais Hope l'a choisi lui, Émile.

— K.-O., le poilu, exulte Émile.

Le stage bidon au siège social du géant minier est une tactique pour se procurer les plans détaillés des installations ultramodernes, creusées près de la réserve autochtone, à Val-d'Or. Celle où on descend pendant dix minutes dans un ascenseur digne des films de science-fiction et où l'exploitation est l'une des plus automatisées sur la planète.

Le mardi après la Fête du Travail, Romain, agent de communications chez Cuivre-Nordik, présente Émile à madame Lecourt, l'adjointe du président.

— Émile étudie en techniques d'ingénierie au cégep. Pensez-vous qu'il pourrait faire un stage d'observation avec monsieur Léonard, aux opérations, pendant une semaine ?

Romain sait que Liette Lecourt l'aime vraiment bien. Ils se sont croisés par hasard en grignotant leur lunch au parc, à côté du bureau. La dame lui a confié que son mari avait été mineur à Thetford Mines, de 25 à 45 ans. Il a contracté une maladie dégénérative due à l'amiante et vit des réclamations des prestations de la Commission de Santé et de Sécurité au Travail depuis dix-huit ans.

— C'était bien pire dans les années soixante. Ça a beaucoup évolué dans les mines. Pour le mieux, c'est certain, a-t-elle ajouté, comme pour justifier l'industrie qui lui assure son gagne-pain.

Madame Lecourt a un profond sillon tracé entre les sourcils, rattaché à une ribambelle de ridules secondaires. Son dévouement pour Cuivre-Nordik est une énigme insoluble pour Romain, la trace incongrue d'une époque achevée. Sans doute une question de génération, conclut-il.

Lorsque les garçons lui ont parlé du stage, Liette Lecourt a vu la flamme dans leurs yeux. Inconsciemment peut-être, Liette a voulu lever son poing d'indignée refoulée et venger la vie gâchée de son couple.

— Je m'en occupe.

Le vendredi suivant, le portable d'Émile sonne. Il trébuche en sortant de la douche et dégoutte sur le prélart de son studio.

— J'ai parlé de vous au directeur. Il est d'accord pour le stage. La semaine prochaine, ça vous convient ? demande madame Lecourt.

— C'est sûr. Merci. Merci beaucoup, répond Émile mouillé et grelottant.

Il sècherait ses cours et emprunterait ses notes à un camarade de classe. Il aime bien ne plus avoir à inventer des gastros et des décès de grandes tantes, comme au secondaire.

À : Hope
Je commence demain à C-N.
Tu fais quoi ce soir ?
Envoyer

À : Émile
AWESOME. *Busy*.
Je t'appelle demain.
Envoyer

— *Hémill*, t'es nul. *Hémill*, enroule-toi dans la carpette de salle de bain ! Va te foutre dans le fond d'un tiroir ! hurle-t-il, en imitant l'accent craquant de Hope, comme s'il s'interdisait de se mettre en colère. Il est incapable de se fâcher à la première personne, mais sa petite personne, il arrive à la haïr sans réserve.

11

Changement de programme

AU RÉVEIL, EN DÉBUT D'APRÈS-MIDI, LE LENDE-
MAIN, ÉMILE ESSAIE DE RAISONNER COMME IL
LE PEUT, SA GRANDE DÉCEPTION.

— J'étais tellement confiant avec l'histoire
du stage. Je le sais que j'aurais eu le courage,
hier soir, de l'embrasser.

Émile se remet à rêver au scénario d'une
soirée réussie, à la place de la vraie, ratée. Si elle
avait accueilli son ardeur, ils se seraient diri-
gés vers le futon au vieil édredon rose. Émile
l'avait entrevu à partir du corridor, l'unique
fois où Hope l'avait admis brièvement dans
l'appartement de sa tante sur la rue de Rouen.

— Bon, ça suffit, je vais me taper un bon
film d'espionnage, se dit Émile. Ce n'est que
partie remise, comme on dit, mais il n'est pas
trop sûr d'y croire.

Il enfile sa veste en coton ouaté et sa casquette et quitte l'appartement. En déambulant
sur la rue Saint-Ferdinand en direction de la
station BIXI du Métro Saint-Henri, il se surprend
à moins ralentir devant chaque fenêtre. Comme

quelqu'un qui n'a plus d'appétit quand ça va mal.

— Basta. Il fait beau. J'ai un bon film à voir et une mission concrète à mener dans quelques semaines. Tout va bien, mon beau *Hémill*, prononce-t-il presque gaiement en détachant le vélo en libre-service de sa base.

Nettement en avance pour la séance de dix-sept heures, le garçon ragaillardi opte pour une balade le long du canal Lachine. Il grimperait ensuite la côte de la rue Peel en pédalant et bifurquerait jusqu'au cinéma Banque Scotia sur la rue Sainte-Catherine.

L'air est bon, à peine piquant. Émile a toujours aimé les soirées d'automne qui se donnent comme une soirée d'été.

Il atteint l'entrée de la piste cyclable du côté sud du canal et croise un promeneur. Il ne peut s'empêcher de noter les caractéristiques de ses semblables : taille moyenne, chaussures sport bleu pâle, lunettes de forme elliptique, avec un dalmatien retenu par une laisse tricolore. Émile contourne ensuite une jeune maman accrochée à une poussette qui émet des piaillements diaboliques.

Plus loin, sur l'herbe, Émile observe avec un brin d'envie un couple d'amoureux allongés pêle-mêle sur une couverture à carreaux. La fille blonde s'esclaffe en roulant sur le côté.

— Mais, c'est Hope... avec Marc-André !

Son rival a des tiges de paille morte dans sa tignasse hirsute. Émile freine subitement et bloque l'entrée de l'air dans ses poumons. Son corps, sa structure interne se disloque, ses organes se liquéfient. Sa souffrance est primale. Des larmes coulent, abondantes, déchaînées. La morve salée s'accumule sur ses lèvres tremblantes. Émile remonte son capuchon, fait demi-tour. Arrivé chez lui, le zombi se blottit en boule sur la carpette encore humide de la salle de bain et gémit, sans aucune retenue.

Réveil brutal et douloureux sur le sol froid. Les mécanismes de défense d'Émile se mettent en œuvre et travaillent fort pour prendre le dessus et faire taire son désarroi.

— Je suis devenu un combattant. Je vais persévérer coûte que coûte. Je ne laisserai rien voir à Hope. Je vais gagner toute son attention le jour J.

12

De Ötzi à Marc-André

Le stage au siège social de Cuivre-Nordik est terminé. Hope assigne à Émile une recherche préparatoire sur les opérations de la minière qu'il mène avec grande minutie. Bien mieux que tous ses travaux au cégep !

Émile inclut dans son rapport pour Hope des informations sur la production cuprifère à la mine de Val-d'Or : trente-cinq milles tonnes extraites du sol chaque année, transportées à la fonderie de Rouyn-Noranda pour une première transformation, puis envoyées dans l'est de Montréal pour être raffinées.

— Le cuivre ne rouille pas, c'est pratique et durable, note-t-il. Et aujourd'hui, la moitié de ce métal précieux est consacrée aux applications électriques.

— Tiens, qui est cet homme ? s'étonne Émile en voyant le visage d'Ötzi, un chasseur barbu.

En lisant tout ce qui lui tombe sous la main au sujet du cuivre à la Grande Bibliothèque, l'histoire d'Ötzi l'a captivé. C'est un homme que on a retrouvé intact sous les glaces, avec sa belle hache de cuivre pur, quatre mille ans après sa mort ! En 1991, des randonneurs allemands pensaient avoir découvert le cadavre d'un autre marcheur dans les Alpes italiennes. En réalité, Ötzi était momifié depuis une éternité dans la glace avec une ribambelle d'objets quotidiens : un arc, quatorze flèches, sa hache de cuivre, un couteau de silex et une pochette de cuir remplie de champignons à usage médicinal.

Cette touchante découverte rappelle à Émile une lumineuse visite dans une caverne qu'il a faite avec sa famille, en France. Dans les grottes où des hommes préhistoriques avaient jadis vécu, il se souvient d'avoir marché dans le noir, derrière un guide muni de la seule lampe de poche permise. C'était humide et froid. Émile avait davantage envie d'un bain chaud. Lorsque le guide avait éclairé la fresque peinte sur la paroi de pierres, Émile avait pleuré doucement, à l'écart. Vingt-cinq mille ans le séparaient de l'artiste qui avait illustré la scène montrant le lien qui unit le chasseur et son élégante proie. On avait l'impression que l'émotion passait entre eux...

Dans le grand livre sur d'Ötzi, on présente une reconstitution de son allure physique et de son habillement rudimentaire. C'est saisissant :

malgré les millénaires, les humains n'ont pas tant changé, au fond.

Émile se sent proche de ces frères lointains : l'artiste préhistorique qui a peint dans la caverne, en France, et Ötzi, qui chassait il y a 4 000 ans.

— NON ! s'exclame Émile, ces hommes, au fil des milliers d'années et des milliers d'années, ont la même sale gueule que Marc-André.

L'émotion amoureuse se mêle à l'histoire de ses lointains ancêtres et prend soudain le dessus.

13

En route vers Val-d'Or

L E JOUR J, C'EST DEMAIN. LA VEILLE DU DÉPART POUR VAL-D'OR, HOPE TRITURE LE PLAN DE LA MISSION.

— Moi, je conduis. *Hémill*, tu fais le guet.

Elle regarde Marc-André et ajoute, fermement :

— Tu sais ce que tu as à faire.

Émile acquiesce sans mot dire. Un goût acide envahit dans sa bouche. Son torse est brûlant, ses pieds et ses mains glacées.

Que signifie cette volte-face ? Émile sait qu'il est plus apte que Marc-André pour prendre les photos de la mine. Il a mémorisé et recopié les plans des lieux.

Rien à faire. Ce que Hope décide sera.

Le 20 novembre, Hope prend le volant de la voiture vert pomme louée chez Communauto. Le trio se met en route vers midi à partir de la station de métro Viau. Durant le trajet, les garçons alternent entre le siège du passager et la banquette arrière. Ils parlent peu. Les sons faiblards de la radio accompagnent le ronron délicat du moteur. C'est trop long pour être nerveux à temps plein jusqu'à destination. Hope est concentrée et paraît calme.

L'obscurité noie la forêt en fin d'après-midi. Marc-André a offert de conduire après le village de Sainte-Adèle.

— *No*. On suit le plan. Je suis le *driver*.

— C'est assurément la femelle alpha, se dit Émile, sur la banquette arrière, avec un brin d'irritation.

C'est la fin de l'automne et ils se dirigent vers le nord. Le mercure descend, les conifères rapetissent, les humains se font de plus en plus rares.

— *We stop here*. J'ai faim, j'ai envie de pipi et je m'endors, lance Hope sans équivoque.

En ouvrant les portes de la voiture immobilisée, ils entendent une meute de loups qui hurlent au loin.

— Envisagent-ils une attaque nocturne ? pense Émile.

Unis par le besoin pressant d'uriner, nos trois amis se retiennent et cherchent chacun son petit coin. Émile prend soin d'installer sa lampe frontale avant de sortir de la voiture puis s'éloigne de quelques pas sur le chemin sombre. Il ouvre sa braguette. Hope, qui a une peur bleue des loups et de la silhouette austère des épinettes s'accroupit, là, tout près. Son jet continu crée une nappe qui s'écoule sur l'humus et fait bruisser les feuilles mortes. Marc-André franchit un fossé pour aller marquer son territoire à son aise, mais il fait demi-tour à cause de la boue. Son machin en main, il fait une entrée en scène tonitruante. Puis sa partition se mue en une cascade continue et régulière.

Émile est paralysé par cette complicité sonore et incongrue. Il n'arrive plus à se retenir, mais il est figé à l'idée d'émettre un couac disgracieux en plein concerto de pipi.

— *Come on*, éteins ta lampe *Hémill*, rugit Hope.

Émile obtempère et se relâche, goutte à goutte, sur la terre froide. Le contrôle réussi de son débit lui fait penser à une expérience faite en labo de chimie: on versait délicatement une huile épaisse sur de l'eau en s'assurant de ne pas mélanger les deux substances.

Les loups se mêlent de la partie dans un crescendo émouvant. Sous les constellations, la scène est mémorable.

✴✴✴

Les jeunes se sont écroulés de fatigue, dans la voiture stationnée sur l'accotement d'un rang isolé à quelques kilomètres de Mont-Laurier.

À l'aube, Hope, Émile et Marc-André se réveillent courbaturés et désorientés. L'habitacle de la Yaris est humide et dégage un mélange d'odeurs corporelles de yin et de yang. La cuirette des sièges a raidi. C'était glacial cette nuit.

Émile distribue les sandwichs aux œufs ce qui n'améliore en rien la qualité de l'air. Le thermos de café n'a conservé qu'une infime partie de la chaleur souhaitée, mais on le boit quand même.

— *So*, la mission, c'est ce soir. On va repasser chaque étape pour être sûr que tout se passe comme prévu. *Hémill*, sors le planning. Il reste un bon trois heures de route avant d'arriver à la mine. On veut traverser Val-d'Or après la tombée du jour. On va mettre de la boue sur la plaque d'immatriculation. La voiture est déjà assez poussiéreuse. Personne ne pourra nous identifier.

Marc-André et Émile récitent docilement leur leçon. Hope, satisfaite, décrète le départ. De Mont-Laurier à Val-d'Or, ils croisent quelques poids lourds et un orignal.

14

Mission accomplie ?

A
U CROISEMENT, TEL QUE PRÉVU, UN PANNEAU
DE SIGNALISATION INDIQUE L'ENTRÉE DE LA
MINE CUIVRE-NORDIK. Dans l'habitacle
de la voiture, l'angoisse flirte avec l'excitation. Émile a appris, lors de son stage bidon, où sont situées les caméras de surveillance. La voiture doit être garée plus loin, sur la route. Marc-André va traverser un terrain vague pour atteindre la guérite d'accueil et endormir le gardien avec le chloroforme que Hope a subtilisé dans un laboratoire de chimie au cégep, en faisant les yeux doux à un technicien.

« C'est vrai que je préfère ne pas être celui qui attaque le veilleur de nuit. C'est pas trop dans mon registre », pense Émile.

Marc-André, lui, est tout fier de son statut actif et amélioré. Il remonte son col en sortant de la voiture et s'élance dans la pénombre.

Peu de temps après, Émile s'aperçoit qu'il y a quelque chose qui cloche. C'est sérieux. Le gaillard cale à chaque pas. Il dépense une énergie folle à extraire ses pieds du sol marécageux. Puis, il revient, en sautillant bizarrement.

— On dirait qu'il a perdu une chaussure, s'étonne Émile.

Marc-André tente, tant bien que mal, de protéger son pied découvert, comme s'il ne voulait pas salir sa chaussette multicolore, alors qu'elle est déjà fort bien mouillée et croûtée.

— *What the fucking fuck Mark-Handré ?* vocifère la chef.

Malgré la tournure dramatique de la situation, Émile se retient de pouffer de rire. C'est la première fois qu'il entend l'Américaine massacrer le prénom de son rival et cette justice le rapproche de Marc-André.

Marc-André grelotte, penaud. Hope réfléchit, froidement. Elle fixe son regard sur les bottes d'Émile.

— C'est quoi ta pointure ?

— Moi, euh, c'est 11, répond Émile.

— Toi, *Mark-Handré* ?

— 9 ½, émet l'autre, étonné qu'Émile ait de plus grands pieds que lui.

— Donne-lui les *Hunter, Hémill. NOW* ! On a trente minutes de retard.

Marc-André enfile les bottes bleues et repart, amoché, mais déterminé. Hope met ses écouteurs et ferme les yeux. Émile attend, assis en tailleur, en pied de bas, à l'arrière de l'auto, furieux d'avoir dû se départir de ses bottes.

— C'est pas vrai, maudit, je suis à plus de six cents kilomètres de Montréal et je n'ai pas de chaussures de rechange. En plus, je dois patienter ici alors que monsieur *Mark-Handré* est au cœur de l'action.

À travers la vitre, Émile contemple la Grande Ourse et relie les étoiles mentalement, comme son grand-père le lui avait appris quand il était enfant. Il pose son regard sur Hope, à intervalles réguliers.

Hope ouvre les yeux et consulte sa montre.

— Il devrait être de retour, *shit* ! Il faut que tu ailles le chercher, *Hémill*.

— Tu vois bien que je n'ai rien dans les pieds, Hope ?

— Mets l'autre soulier de *Mark* et tiens, prends mon running. Ton talon dépassera, on s'en fiche. Si tu ne passes pas dans la boue, ça va marcher. *Mark-Handré* a désactivé les caméras de surveillance. Passe par le chemin central. Tu comprends que c'est toi, *Hémill*, qui es maintenant responsable du succès de cette mission, siffle Hope, en guise d'ordre et d'encouragement.

15

Danger, explosif

VOICI SON MOMENT DE GLOIRE. L'occasion d'agir en héros. Émile s'élance en sautillant sur la route, avec le faisceau de sa lampe frontale qui fouette le sol noir, par à-coups.

Il atteint la guérite et constate avec horreur que le front du gardien, ensanglanté, est appuyé sur la vitre embuée. Les lunettes de l'employé de Cuivre-Nordik sont tombées de son gros visage tuméfié. Le verre fracassé jonche le sol. Émile prend le pouls du gardien: l'homme est vivant. Il le replace péniblement et tente d'appuyer sa lourde tête en arrière, contre le mur. Il essuie sommairement le sang sur son visage.

— Il a l'air mieux, quand même. J'ai bien fait d'enfiler les gants pour éviter les traces d'empreintes…

Sapristi, où est donc Marc-André ? Les grandes portes qui donnent accès à la mine sont verrouillées. Émile pitonne les six chiffres du code qu'il avait réussi à obtenir lors de son stage au siège social. Déclic. Ça s'ouvre et Émile voit la porte de l'ascenseur qui descend dans la mine.

— Marc-André est-il pris dans le fond ? Qu'est-ce qu'il fout, le barbu ?

De plus en plus paniqué, Émile appuie sur le bouton électronique qui appelle l'ascenseur.

— Faut que je descende…

Dès que les portes se referment, ça se met à chuter dans le tunnel vertical.

— C'est sûrement normal que ça descende aussi vite, se dit Émile, en haletant, la langue et la gorge sèches.

Ses oreilles sont bouchées quand il atteint la galerie souterraine. Émile prie pour que la pile « longue durée » de sa lampe frontale tienne le coup. Est-ce que sa mère avait changé la pile depuis la sortie de camping à Tremblant ? C'était quand donc ? Il y a un an, deux ans ?

Sur la paroi minérale, à droite, un panneau indique ironiquement « Défense de fumer – Danger explosif ». Émile trébuche, se relève, fait quelques pas. Un pied dans la chaussure trop grande de Marc-André, un pied dans le running, trop petit de Hope.

« C'est curieux qu'il fasse chaud et humide ici. Je m'attendais à geler », pense-t-il.

Il remarque de l'eau qui coule de tuyaux installés tout au long des parois et un grillage au plafond qui empêche le roc de tomber.

— C'est rassurant !

Émile atteint de petites salles mitoyennes. La première contient des explosifs et la seconde, des détonateurs. Il s'arrête, entend un râlement derrière un amas de résidus. Il se précipite en direction du son. Marc-André est étendu sur le sol. Il respire difficilement.

En apercevant Émile, il éclate en sanglots.

— J'pensais… jamais… si… content… de te voir, *man*, hoquète Marc-André. Je… fais une … crise de.

— Laisse faire, tu me diras ça tantôt. Faut qu'on remonte, pis vite. As-tu pris toutes les photos ? Les installations en haut, pis ici ?

Incroyable, mais vrai, Marc-André a perdu une botte en traversant le marécage la deuxième fois et il se plaint maintenant d'avoir le pied droit totalement engourdi.

— Mission accomplie, réussit-il à bredouiller en grimaçant de douleur, j'ai toutes les photos. Mais j'ai fracassé mon petit orteil sur une clôture barbelée avant d'entrer. Aïe, j'ai trop mal ! J'ai pris toutes les photos. Mais j'ai tout fait ça comme un robot. Pis là, dans le fond, j'ai fait une crise de panique. C'est comme si j'allais étouffer. J'ai eu le vertige… Ça m'est déjà arrivé en traversant un pont. Faut croire que j'ai le vertige et que je suis claustrophobe en plus.

Marc-André se déchausse du côté où il a mal et se met à hurler en voyant que son orteil blessé pend, quasiment arraché.

— Remets ta botte. Faut qu'on retourne à l'auto et qu'on sacre notre camp au plus vite !

Le grand poilu s'appuie sur Émile et ils retournent, chancelants, vers la voiture, vers Hope, vers la fuite.

❋ ❋ ❋

— Personne ne t'a vu ? Même pas le gardien ? s'enquiert Hope en s'emparant du sac à dos.

Inconsolable, Marc-André n'est pas en état de répondre. Il montre sa blessure à Hope, qui détourne le regard, écœurée.

« Pas question que je m'incruste et que je coule avec ces bons à rien. J'ai bien fait d'apporter mon passeport », pense l'Américaine…

Elle ordonne à Émile de prendre le volant.

— Je n'ai qu'un permis d'apprenti. Je n'ai jamais conduit une voiture « manuelle », proteste Émile, sans grande conviction.

— Toi, tu vas peser sur le gaz et t'occuper du volant. Je vais te montrer à *shifter*. *You concentrate on staying on the road*. On redescend en ville en passant par Ottawa. On amènera *Mark-Handré* à l'urgence en arrivant.

Elle dévoilera au dernier moment que leurs routes se séparent dans la Capitale nationale. Elle passe à son plan B. Autobus d'Ottawa à New York puis avion vers Mexico. Sa chère Ana lui a fourni des adresses de copains à Sonora, sur le Pacifique. Vaut mieux aller se terrer par mesure de prudence… L'Association des producteurs de cuivre ne va pas apprécier la belle campagne qui se prépare sur les médias sociaux.

Hope n'est pas contente. La mission n'a pas été menée convenablement. Deux éléments incriminants sont restés dans le marécage de Val-d'Or : une chaussure appartenant au grand crétin pleurnichard et la botte bleue d'*Hémill*.

« Je pars avec l'appareil photo. Arrivée au Mexique, je m'installe dans un café Internet et je finalise le travail d'Ana et de Georges, l'informaticien. »

Hope n'en a plus rien à cirer de ses soupirants va-nu-pieds.

— *I am still on track, baby*. Il va se la fermer le grand veau ? grommelle Hope en fixant Marc-André qui beugle, désespéré.

16

Ennemis siamois

ÉMILE ET MARC-ANDRÉ PATIENTENT VINGT-CINQ LONGUES MINUTES AU FOND DU STATIONNEMENT DU *TIM HORTONS* DE L'AVENUE KING-EDWARD À OTTAWA. Aucun signe de vie de mademoiselle Lowry, ni les cafés promis et tant attendus.

La récréation est terminée. Émile est dévasté par la fuite, maintenant évidente, de sa belle fée Carabosse. Marc-André, son rival, a le visage blanc gris, comme un mouchoir simple épaisseur. Il geint piteusement, en continu, comme une litanie.

« Eh bien, il a perdu de sa superbe, le beau gosse », constate Émile.

Ce dernier invite le blessé à s'installer sur la banquette en avant, à la place laissée libre par Hope.

— Rends-moi ma botte, camarade. Comme ça je pourrai conduire comme du monde. Déjà que j'arrive mal à changer les maudites vitesses, dit Émile en prenant la situation en main.

— Amène-moi chez un médecin, supplie Marc-André d'une voix fiévreuse.

— O.K. On rentre à Montréal et on va consulter une amie de ma mère qui est médecin.

— Ké, marmonne le barbu, épuisé.

— Il ne faut pas qu'il dorme. Les blessés ne doivent pas dormir. Dans son état élevé d'anxiété, Émile confond les conditions du patient avec choc à la tête avec la situation actuelle, fort différente : choc au petit orteil et au cœur.

— Marc-André, réveille-toi. Parle-moi… J'ai peur de canter. Il faut que tu me parles. Raconte-moi n'importe quoi, ta vie, blague-t-il. Ça devrait bien remplir le temps d'ici Montréal. Go, man, je t'écoute.

Plein de gratitude devant la sollicitude d'Émile à son égard et comme saoulé par la douleur, Marc-André acquiesce et entame la saga. C'est comme ça que les deux jeunes hommes deviennent frères siamois, orphelins de Hope, comme deux plaques tectoniques soudées par la peur et l'abandon.

À chaque kilomètre d'asphalte parcouru, le personnage viril de Marc-André s'effrite davantage, comme si le petit orteil amoché avait détraqué toute la machine, l'allure fière et sexy qu'il avait si bien forgée. Il se met à déballer son sac…

Marc-André parle de sa mère, comme il la voyait, alors qu'il était tout petit. Chaque soir, la table est mise mais le regard est distrait. Une enfance marquée par le désintérêt parental et l'absence de tendresse. Pas un cas de DPJ, mais un cas de confiance minée, de doute constant. Étonnant d'entendre l'effet dévastateur du manque affectif profond chez ce grand gaillard.

Le père de Marc-André jouait son rôle un dimanche sur deux, puis avait espacé ses visites pour finalement refaire sa vie au Costa Rica avec une Colombienne, plus portée vers l'amour que son ex. Marc-André avait visité une fois leur mignon complexe hôtelier, pour se rendre compte qu'il était de trop sous leur soleil.

Dans un état second, quasi hypnotique, Marc-André évoque pêle-mêle des situations troubles d'enfant sensible, de la colère, de la frustration, classées top secret dans le tiroir du bas de son inconscient.

— J'ai toujours l'impression de me promener avec une coquille d'œuf de brontosaure à la place de la peau. Je suis trop cool. Je sais que les filles me trouvent *chill*. Une d'elles m'a dit qu'elle me trouvait « craquant. »

C'est reparti. Émile serre le volant. Ses mains sont moites. Il ravale sa salive et se concentre sur le pointillé blanc au centre de la route. Sa jalousie allait faire éclater la solidarité naissante et le rabaisser à son état de primate. Il a envie d'interroger Marc-André sur sa relation avec Hope. Le blessé continue sa litanie, incapable de s'arrêter.

— Mon « personnage » marche, mais je me sens brisé, à côté de moi-même. Tu comprends ?

Émile est stupéfait. Son monde douillet « papa maman, chat gris, cottage semi-détaché » est à des années lumières de l'univers de Marc-André Poliquin. Pourtant, les confidences du poilu mettent en évidence une étrange ressemblance entre eux. Ils partagent une difficulté à être, à être eux-mêmes, à être bien.

Émile tourne la tête pour regarder Marc-André avant de répondre à sa question. Il s'est endormi… La voiture s'engage sur le pont Champlain. Sa mère l'attend avec Hélène pour examiner le blessé.

Une heure plus tard, Marc-André est amputé de son gros orteil droit.

17

Pleins feux sur
Cuivre-Nordik

DEUX JOURS PLUS TARD, HOPE PREND UNE CHAMBRE DANS UNE AUBERGE DE GUAYMAS DE ZARAGOZA, AU MEXIQUE.

— Le village est discret et agréable, lui a assuré Ana.

Des lunettes de soleil cachent ses yeux gris, bouffis de fatigue. Elle a remarqué, en descendant du taxi, que le café, à deux pas, offrait le WI-FI. Elle s'apprête à mettre la touche finale à la mission, une cerveza à la main, avant la fin de l'après-midi.

Douche tiède rapide, robe noire *American Apparel* à minces bretelles, sandales plates à la romaine, ordinateur sous le bras. Hope s'installe au café sous le regard intrigué de vieux Mexicains qui jouent aux échecs. Ils ont marmonné quelques commentaires admiratifs à son arrivée et esquissé un sifflement macho, que même les gars de la construction au Québec n'osent à peu près plus faire. D'un regard, résolu et direct, Hope les met K.-O. Elle sait lancer toutes sortes de flèches, la grande.

La jeune activiste est lessivée, mais fébrile. Elle se félicite d'avoir semé sans trop d'effort Émile et Marc-André à Ottawa. À la dernière minute, elle a suivi son instinct, comme un coup de gueule, et s'est glissée en catimini par la porte arrière du *Tim Hortons*. Ils pouvaient compter sur quelqu'un d'autre pour leur servir du café.

Qu'ils ont été nuls ces amoureux éplorés ! Surtout Marc-André…Quelle déception ! Bon, Émile a été utile et a manifesté un certain sang-froid. Hope ne peut s'empêcher de sourire en se remémorant les kilomètres où ils avaient conduit en duo. Elle maniait le bras de vitesse, lui, l'embrayage et la conduite du volant.

C'est son voisin Lenny qui lui a enseigné les rudiments de la conduite manuelle, peu répandue chez les Américains. Ce qu'ils ont ri dans les stationnements de centres commerciaux. Hope n'était pas du genre à caler le moteur. Elle s'est rapidement distinguée par ses départs intempestifs !

Installée dans un coin plus discret du café, la blonde allume son portable. Elle a déjà transféré les photos prises dans la mine de Val-d'Or durant les temps d'attente dans les aéroports. Plusieurs clichés sont flous (Marc-André devait trembler), mais il y en a assez de nets pour qu'on voie clairement l'aspect high-tech de la mine québécoise : ascenceur chromé, écrans et équipements de pointe. On se croirait davantage dans un établissement de santé qu'une mine !

Après le transfert, Hope a effacé toutes les images de l'appareil photo qu'elle a piqué à Émile. Elle comptait balancer le Nikon aux ordures par mesure de prudence.

— Sait-on jamais, je pourrais peut-être le lui rendre un jour, a–t-elle songé, en le remettant dans son sac.

Allez, au boulot ! Hope n'a qu'à suivre le lien que Georges, le *wizkid* informatique, lui a fourni. Avec Ana, Georges a développé un site web choc, avec des images et des témoignages touchants de la communauté des mineurs de cuivre au Mexique. Les gabarits sont programmés pour recevoir les éléments comparatifs en provenance du Québec.

Hope a appris à intégrer le tout avec le logiciel *WordPress* et elle allait mettre en ligne le site, truffé d'informations compromettantes. Elle ouvrirait un nouveau compte Facebook et Twitter, sous une fausse identité, et elle enverrait la nouvelle et le lien aux associations intéressées, sans oublier les chefs de pupitre du *New York Times* et du *Globe and Mail* que son paternel lit tous les matins, en savourant ses toasts au beurre d'arachide surmontés de bananes tranchées (non équitables, sans aucun doute).

Hope savait fort bien qu'il n'y avait rien d'illégal en tant que tel dans les activités de Cuivre-Nordik, ni à Val-d'Or ni à Sonora, mais l'opinion publique enflammée a aujourd'hui plus d'impact que bien des tribunaux. On l'a constaté avec les grandes manifestations, que ce soit *Occupy Wall Street*, le *Printemps arabe*, le conflit étudiant ou *Idle no more*. Une horde de citoyens réunis dégage une force herculéenne et cela donne bien du fil à retordre aux gens d'affaires et aux gouvernements.

L'objectif d'entâcher la réputation de Cuivre-Nordik sera atteint, se dit Hope, satisfaite d'elle-même. En 2011, le monde entier avait été ému par les visages sales des mineurs chiliens, emprisonnés des mois durant sous la terre, entre la vie et la mort.

La description des conditions de travail médiocres des mineurs mexicains susciterait la colère. Hope a insisté auprès de Georges pour que leur site soit sensationnaliste et dérangeant.

— Déjà 15 heures !

Concentrée sur l'intégration des images et des textes, Hope effectue maintenant les dernières vérifications techniques. Elle prend une profonde inspiration et, en expirant, appuie sur « Sauvegarder », puis « Mettre en ligne ». Tac, tac. Elle avale d'un trait le reste de la Corona.

LA CELLULE HOPE

— *Time for a quick swim,* se dit Hope. Ses aisselles sont ruisselantes. Ses lunettes lui glissent sur le nez.

18

Enquête carabinée

— SIMONAK, FAUT SE DÉBARRASSER DE TON AUTRE BOTTE ! ARTICULE MARC-ANDRÉ, LA VOIX CHANCELANTE. ILS VONT NOUS POGNER.

Le blessé, maintenant amputé, est resté confus et désorienté depuis Val-d'Or. Grâce aux bons soins de l'amie de la mère d'Émile et à la dose d'analgésiques, son état général s'améliore et il retrouve une certaine cohérence d'esprit.

Les garçons sont en danger. Le soir même, Émile prend le métro à Longueuil avec la botte *Hunter* boueuse dans un grand sac de plastique. Il se rend dans le Sud-Ouest où se trouve son appartement.

Sur le pont piétonnier qui traverse le canal Lachine de la rue Saint-Patrick au marché Atwater, Émile sort l'élément compromettant du sac, regarde la botte une dernière fois, puis la lance énergiquement dans les eaux sombres, en retenant son souffle.

***

Tel que prévu, les médias sociaux s'emparent de l'affaire Cuivre-Nordik et la nouvelle est la plus *twittée* depuis hier. Hope a utilisé un serveur miroir et diffusé le site le vendredi après-midi du *Thanksgiving* américain, fin novembre. Toute la fin de semaine, on discute de ce dossier en haut lieu.

Charles Lowry, le père de Hope, président de l'Association des mines de cuivre panaméricaine depuis quelques mois, connaît brutalement sa première crise et est projeté à l'avant-scène. La sonnerie de son téléphone portable le réveille, lui et Belinda, en pleine nuit. Sa montre de luxe indique trois heures dix du matin. La conversation avec son adjoint est brève, saccadée. L'homme d'affaires saisit vite la gravité de la situation. S'il savait que l'attaque provenait de sa Hope, il serait livide.

Comme bien des gens d'affaires, monsieur Lowry cultive depuis l'université un réseau d'amis influents. Il compte les mettre à contribution. Il s'assurera que l'enquête policière soit robuste et menée rondement. Et quand les coupables seront traduits en justice, les meilleurs avocats seront à la barre pour les couler, ces vauriens d'altermondialistes.

— Ça ne se passera pas comme ça, ma petite bande de communistes fainéants. Vous allez voir qui aura le dessus…

❀ ❀ ❀

À l'aube, samedi matin, quinze agents de la Sureté du Québec se rendent sur les lieux du crime, près de Val-d'Or. Tasse de café en carton à la main, ils ratissent les alentours à la recherche d'indices. À l'hôpital, on questionne le gardien de sécurité que Marc-André a « anesthésié ». Les vidéos des caméras de surveillance sont scrutées à la loupe.

D'Artagnan, un berger allemand, renifleur de grande expérience, rapporte à son maître une botte bleue *Hunter* qu'il a rageusement extirpée du sol légèrement gelé du marécage.

— Vite, au laboratoire, s'écrit le chef.

Le technicien expert prélève du sang de Marc-André dans la botte et décrète qu'il a séché là depuis moins de soixante-douze heures. Dès samedi après-midi, les enquêteurs sont convaincus que cette botte est liée à l'incident.

L'ADN des tests sanguins correspond à celui des nombreux poils de jambe trouvés dans la botte. On cherche un homme. Au laboratoire, une technicienne entre les données dans le système informatique pour les comparer à celles qui figurent dans les banques de criminels. Rien de concluant de ce côté… Pas de casier judiciaire correspondant.

— C'est curieux, dit-elle à ses confrères. J'ai trouvé dans la botte d'autres poils, avec un ADN différent.

Elle ajoute timidement :

— Comme si deux personnes différentes l'avaient portée.

— Ce n'est pas significatif, tranche son supérieur. Si le propriétaire venait de les acheter, d'autres acheteurs ont pu les essayer dans le commerce et y laisser un ou des poils de mollet.

— Ou bien, il les a prêtés à un ami, ajoute un autre enquêteur, toujours prêt à appuyer son patron.

Dimanche matin, un quotidien publie, à la une, la photo de la botte *Hunter* avec le surtitre :

La Sûreté du Québec cherche activement un Cendrillon blessé.

Marc-André, qui déambule sur la rue Ontario, s'enfarge dans ses béquilles en passant devant le kiosque à journaux. Il texte Émile immédiatement, les larmes aux yeux.

Quelques minutes plus tard, son camarade et complice, qui a vérifié le tout sur Internet, le rappelle.

— Écoute, énerve-toi surtout pas, man. Ils ne peuvent pas nous trouver rien qu'avec cette histoire de botte. Ça ne se peut juste pas. Quand même, reste à la maison le plus possible, jusqu'à ce que ton orteil soit guéri. Peace.

❄ ❄ ❄

— J'aurais dû lancer la botte dans le fleuve Saint-Laurent ; c'était ma première idée, se dit Émile, nerveux.

Une attirance malsaine l'avait mené à quelques pas de la scène où il avait été déchiré de jalousie à la vue de la douce Hope dans les bras de Marc-André.

Une incroyable ironie du sort fait qu'un certain Laurent, adolescent apprenti espion, du calibre d'Émile, essayait ses nouvelles jumelles sur le balcon du condo familial lorsqu'Émile a balancé la botte dans l'eau, quelques jours plus tôt. Il a trouvé le geste curieux. Intrigué, il a pris le temps de relever la marque de la casquette vert pomme d'Émile. Quel style ! Il a aussi reconnu l'écusson de l'école secondaire de la Rive-Sud sur le coton ouaté : son équipe de karaté avait gagné contre eux lors d'une compétition, le mois dernier. Et puis les lunettes rondes lui rappelaient celles de son cousin Léonard.

En remarquant la photo de la botte sur le journal du dimanche, Laurent se dit :

— Tiens, c'est la même que celle que le gars a lancée du pont ! En avalant sa bouchée de Cheerios, Laurent explique fièrement la situation à son père qui s'empresse de composer le numéro du poste de police du quartier.

Au bulletin de nouvelles télévisées, le soir même, le portrait-robot d'Émile est diffusé. Sa sœur, Béatrice, se met à hurler de sa voix de soprano, en reconnaissant son frérot recherché.

Méga-catastrophe !

19

Levez-vous

LA SALLE D'AUDIENCE DU PALAIS DE JUSTICE DE MONTRÉAL EST BONDÉE: JOURNALISTES, MILITANTS ÉCOLOGISTES, PARENTÉ, CURIEUX. Les délibérations viennent de se terminer et le juge, un vieil homme à l'allure digne, s'installe pour annoncer les sentences.

— Silence, somme le magistrat, assis à l'avant de la salle. Accusé Marc-André Poliquin, levez-vous.

Le jeune homme s'appuie sur ses béquilles et se redresse péniblement.

— Vous êtes reconnu coupable d'avoir agressé un gardien de sécurité et causé des lésions corporelles, de vous être introduit illégalement dans la mine de Cuivre-Nordik à Val-d'Or et d'avoir rendu publiques des images sans autorisation, dans le but de causer du tort à une corporation. Marc-André Poliquin, vous êtes condamné à deux ans moins un jour d'emprisonnement dans un centre d'incarcération provincial.

Un silence incrédule s'abat sur l'audience. Émile frémit au second banc des accusés.

— Vous avez 19 ans, poursuit le juge, manifestant une certaine compassion pour Marc-André. Vous pourrez faire des études en prison et repartir du bon pied, sans mauvais jeu de mots, en sortant.

Le juge scrute ensuite Émile et hausse ses épais sourcils.

— Émile Lantier, debout. La Cour vous reconnaît coupable de complicité de méfait, aggravé par un manque de collaboration avec la justice. Contrairement à monsieur Poliquin, vous avez refusé de dévoiler des informations sur mademoiselle Hope Lowry, le cerveau de l'opération, semble-t-il.

Émile tient la barre devant lui et fixe ses chaussures.

— Émile, nous avons eu l'occasion de nous rencontrer, il y a environ 18 mois dans des circonstances similaires. Votre arrestation pour possession simple de marijuana m'était apparue, à l'époque, de l'ordre de l'erreur de jeunesse. On m'a rapporté que vous avez été grandement apprécié à la ferme où vous avez purgé votre sentence. Ce second acte criminel, à l'aube de vos 18 ans, me rend perplexe.

Étonné par le ton de sollicitude du juge, Émile lève la tête et regarde le magistrat prononcer ces paroles.

— Je comprends que votre mission était empreinte d'héroïsme social selon votre point de vue et que vous considérez sans doute vos actes comme vertueux, d'une certaine manière. Votre résistance à inculper mademoiselle Lowry me donne à croire que vous éprouvez un certain attachement pour elle.

Émile sent qu'il rougit. Il se tortille légèrement.

« Non, mais, il faut être nul pour se transformer en tomate en public », se juge-t-il sévèrement.

Même son cou s'enflamme. Les émotions ambivalentes qu'il ressent vis-à-vis de Hope, il ne veut même pas se les avouer à lui-même...

— Humm, continue le patriarche, étant donné que les crimes commis ont eu lieu avant l'âge de votre majorité, la sentence sera de nouveau à purger dans la communauté.

Des soupirs de soulagement fusent de toutes parts dans la salle. Les parents d'Émile se serrent les mains, les yeux remplis de larmes.

— La peine sera de douze mois, cette fois-ci, poursuit-il, en pesant ses mots. Vous nous donnez du fil à retordre, Émile Lantier. La procureure et moi avons longuement tergiversé sur la suite des choses.

— Accouche, la cape noire, marmonne Émile, je n'en peux plus.

Les spectateurs, dans la salle, sont suspendus aux lèvres du magistrat.

— Vous assisterez la troupe de théâtre du Loup Blanc à Kangiqsualujjaq sur la Réserve

Naskapi dans le Grand Nord. C'est une initiative de théâtre, à caractère social, dans un village de moins de mille habitants. La troupe se produit partout dans la région et fait participer les communautés à la création des spectacles. Vous vous rendrez utile et vous aurez du temps et de l'espace pour réfléchir sur vos agissements, que sais-je. Votre participation répréhensible à un acte criminel, au moment d'entrer en scène dans la vie d'adulte, détonne avec l'image posée qui transparaissait lors de notre dernière…

— Qu'est-ce que c'est que ce *stupid* charabia ? s'insurge Émile. Tiens, Hope qui déteint sur moi avec son éloquence anglo-saxonne.

— L'audience est levée, signifie le vieux routard de la justice, en toisant l'accusé avec une lueur d'espoir dans le regard. Il se doute bien que les aventures d'Émile ne font que commencer.

Un homme élancé, élégamment vêtu, se lève et quitte la salle. Il est fier que « son » industrie du cuivre ait gagné cette ronde de la bataille, influence et argent aidant. Ses sentiments à l'égard de sa fille, Hope, dont l'ombre a plané durant le procès, sont partagés. Quand il a su qu'elle était à la tête de cette opération, Charles Lowry a été profondément insulté et blessé par la hargne féroce de sa fille. Aucune réconciliation n'est possible.

— Quand même, elle a réussi à s'en sauver, la maudite ! Elle a du chien, comme son paternel, se console-t-il.

20

Ça pourrait toujours servir

U N AVION BIMOTEUR À HAUTE FRÉQUENCE VI-
BRATOIRE TRANSPORTE ÉMILE ET QUELQUES
AUTRES PASSAGERS VERS KUUJJUAQ. La
vitre givrée laisse entrevoir le jardin boréal du
Québec, pétrifié de glace des mois durant. Le
jeune homme se sent étonnamment calme. Il
a bien dormi, est frais rasé.

— Une couverture pour vous ?

L'agent de bord lui tend un carré de laine
rouge, protégé d'une pellicule de plastique.

Calé dans son fauteuil, Émile dépose le lai-
nage sur ses jambes. Ce matin, en enfilant son
jeans, il l'avait trouvé un peu court.

— Tiens, je grandis encore…*Cool*, avait-il
dit en se regardant dans le miroir avant de
partir.

Les immenses espaces qui défilent et se ré-
pètent lui font l'effet d'une promesse de liberté.
Entre ciel et terre, il survole une page blanche
à l'infini.

Ouf, la vie lui a balancé des expériences
plein la gueule au cours de cette dernière an-

née. Sacrée initiation à la vie adulte ! Émile n'en voulait pas à la Couronne de l'expédier chez les Inuit pour purger sa peine dans la communauté. En revanche, le juge a été tellement dur envers Marc-André ! Émile trouvait intolérable de l'imaginer tourner en rond dans une cellule. Cela lui fendait le cœur. Il tiendrait sa promesse de lui écrire régulièrement.

En attendant le procès, ses parents l'avaient invité à se réinstaller dans sa chambre d'ado. Ça lui avait fait le plus grand bien. Sa mère l'avait couvé de maintes attentions. Sa sœur lui préparait des *smoothies*. Émile avait transmis des trucs d'espion à son petit frère qui en redemandait. Il avait ri aux blagues douteuses de son paternel. Le séjour au nid familial l'avait clairement remis sur les rails. Il avait repris des forces et se sentait d'attaque pour sa plongée culturelle chez les Innus.

Pas mal plus chanceux que Marc-André !

Dans toute cette histoire, Émile savourait la fierté d'avoir protégé Hope. À tout moment, durant l'enquête et le procès, il aurait pu flancher et brandir la clé USB et la compilation de preuves accablantes. Il avait dissimulé le petit objet sous une tuile ébréchée dans la chambre de fournaise, au sous-sol, chez ses parents. Avant le procès, une nuit où Morphée était en grève, Émile avait tout transféré: les photos, les plans de l'usine, les bandes sonores, les dossiers de recherche, les vidéos. Il avait même enregistré le troublant concerto de pipi. À la question « enregistrer sous », pour identifier le dossier, il avait d'emblée pianoté « La cellule Hope ».

— Ça pourrait toujours être utile, avait songé Émile.

L'avocat d'Émile l'avait incité, dix fois plutôt qu'une, à couler Hope, Ana et les autres. Il aurait littéralement capoté s'il avait soupçonné l'existence de toutes les pièces à conviction qu'Émile détenait.

— As-tu déjà vu quelque chose d'aussi sublime ? s'extasie son voisin de siège en admirant les lacs gelés.

Le géologue s'était présenté avant le décollage. Il se rendait, lui aussi, pour la première fois, dans le Grand Nord.

Émile sursaute au commentaire, comme si le fait qu'on l'interroge, alors qu'il pense à sa cachette et aux pièces à conviction, risquait de compromettre Hope…

— Ouais, c'est grandiose… répond-il distraitement.

Émile avait ouvert les fichiers, un à un, la nuit du transfert de données. Il avait longuement contemplé le visage et le corps de Hope Lowry sur les photos, hypnotisé devant l'écran.

Qu'elle avait été dure, d'une brutalité effroyable ! Et incroyablement égocentrique et opportuniste. On ne pouvait qu'être outré. Pourtant, une voix souterraine incitait Émile à croire que Hope était blessée, craquée tout au fond, un peu comme Marc-André. Qu'elle avait quelque chose de bon offrir à celui qui saurait l'amadouer.

En admirant l'immensité du ciel bleu du Nord québécois, Émile espère la retrouver un jour et faire la connaissance d'une autre Hope, la vraie, qu'il s'acharne à imaginer chaleureuse et authentique.

— En tout cas, j'ai tout ce qu'il faut pour la faire chanter !

Le bimoteur commence sa descente, en plongée, vers les étendues enneigées.

Plus que douze mois, maintenant.

Muriel Kearney

Tout a commencé dans un atelier d'écriture de la pétillante Sylvie Massicotte… Lors d'une fin de semaine d'automne, dans une auberge face au Parc Lafontaine, une tablée d'écrivains amateurs gribouillent et invitent des personnages imaginaires à entrer en situation. J'ai 20 minutes pour écrire un texte qui intègre des jumelles. C'est avec cet exercice, qu'émerge un certain Émile. Dans cette version, il est adulte et se remémore l'occupation coupable et obsédante de son adolescence : espionner ses voisins.

La réception de mes acolytes, écrivains en herbe, est enthousiaste. L'animatrice de l'atelier laisse même entendre que cela sera un bon point de départ pour un roman jeunesse.

J'ai eu la piqûre… je m'installe un bon matin, jambes croisées, appuyée sur une table basse. Comme Sylvie nous l'a appris, je me trouve un « déclencheur » : un poème, un jeu de contrainte de l'OULIPO, une liste de mots dont j'apprécie la sonorité… Je détermine ensuite un titre de chapitre et puis, go, j'écris trois à cinq pages d'une traite. Hope, la petite maudite, est née. Émile est réapparu. Le contexte écologique s'est imposé. En six mois, un premier jet de *La Cellule Hope* est prêt pour la lecture. Mon ami Roger Poupart, lui-même auteur de huit romans pour la jeunesse, a lu mon manuscrit. Il a aimé et m'a fait des commentaires judicieux. Ma fille Léonie a aussi lu le texte et m'a dit : « C'est bon, pas mal mieux que ce à quoi je m'attendais». Il y avait de l'espoir... comme vous avez pu le lire.

GARANT DES FORÊTS
INTACTES

Ce livre a été imprimé sur du papier Sylva enviro
100 % recyclé, traité sans chlore, accrédité Éco-Logo
et fait à partir d'énergie biogaz.

Achevé d'imprimer
à Montmagny (Québec)
sur les presses de Marquis Imprimeur
en juillet 2013